# 汤姆挨罚

[法]玛丽　阿利娜·巴文/图　[法]克斯多夫·勒·马斯尼/文　梅莉/译

海燕出版社

今天早上，因为没有找到最喜欢的那辆红色跑车，我心情很不好，真不想去幼儿园。再说，我已经答应西蒙，要给他看呢！

“我的小乖乖，再见！”妈妈亲了亲我。这时，西蒙跑过来，问我带没带红色跑车。这家伙真烦人！

怎么办？没有带红色跑车，我就玩黄色小汽车吧。它是所有汽车里最漂亮的。哎呀！怎么卢卡在玩？这是我想玩的呀！

“给我，这是我的。”我伸出双手拼命抢，可他怎么都不肯松手。

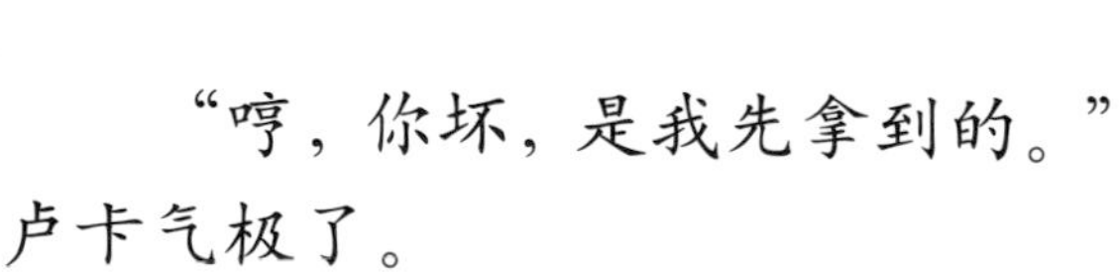

“哼，你坏，是我先拿到的。”卢卡气极了。

老师走过来，把我们拉开，温和地说：“小汽车是大家的。汤姆，把小汽车还给卢卡，你玩别的，好吗？”

反正我也不想玩汽车了，我去搭积木吧。我要用好多好多的积木，搭很高很高的大楼。

我向基姆和阿雷斯要积木，可他们不愿意给我。

“看哪，你们搭的大楼，太难看了。”我一脚踹过去，哗啦一下，大楼倒了。真好玩！

这次，老师的声音可不那么柔和了："汤姆，你不高兴，也不应该搞破坏！快说对不起，然后，收拾好地上的积木。"

太不公平了……是他们不愿意分给我积木的。西蒙更可恶，还冲我做鬼脸呢！“走开，西蒙，你不再是我的好朋友了！”我向西蒙扔了一块积木。

这回，老师真的生气了：“汤姆，任何时候都不能做坏事。我们上课的时候讲过，你还记得吗？”

“好吧，好吧，既然你不能和别人好好玩儿，那你就自己去画画吧！”

VENDREDI
12
MAI

老师真坏，我再
也不喜欢她了。

再说，现在我也不想画画！

我干些什么呢？

一个人待着真没意思。看起来别人玩得还挺高兴。

我可不愿意这样待一整天。

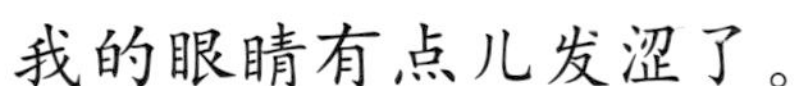

我的眼睛有点儿发涩了。

下午放学时，爸爸来接我。老师告诉他，我挨罚了。现在，我只想快点儿回家吃点心……爸爸会跟老师一样批评我吗？

爸爸没有生气。我告诉他，挨罚一点儿都不好玩。“是的，汤姆，挨罚不好玩。但老师做得对，她想让你知道，你违反了幼儿园的规则。”

“大家生活在一起，要遵守各种规则。有些事情可以做，有些事情不可以做。你看，马路上的汽车，能开到人行道上去吗？”

“红灯亮了，汽车就要停下来，让行人过马路。汽车是要遵守交通规则的。”

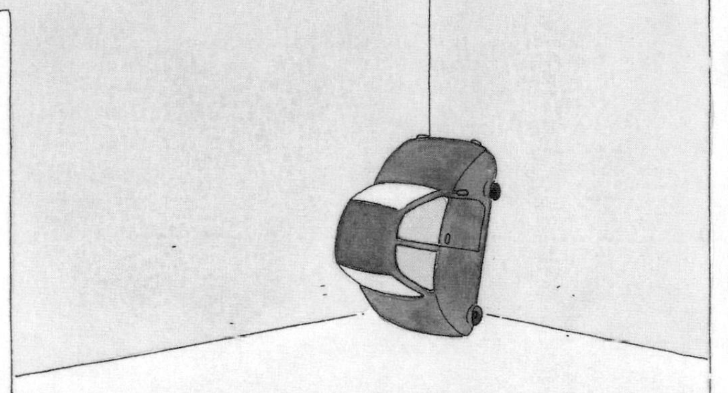

“爸爸，如果汽车不遵守交通规则，也要受到惩罚吗？也要站墙角吗？”

“不是汽车站墙角，而是开车的司机受惩罚。司机会收到罚单的。”

回到家里，我老想着今天发生的事。“爸爸，你小的时候，也挨过罚吗？”

“当然挨过了。有一次，我在我弟弟，也就是你叔叔的脸上打了一拳。你爷爷就让我回到自己的房间，不许出来。那天，正好我喜欢的表哥来家里玩……”

“可怜的爸爸！当时你一定很伤心吧？后来，你是不是也睡着了？”

咣当！伊娜把果泥扔到了地上。
“你做得不对，这样不好。”
“爸爸，要不要惩罚伊娜？她应该把掉到地上的果泥捡起来。”

哈哈，她还太小，不能真的挨罚。让我来帮伊娜收拾吧！